Hávamál

Ce que disaient les Vikings

Hávamál

Ce que disaient les Vikings

traduit
de l'original par
Gérard Lemarquis

Gudrun

GUDRUN publishing
Reykjavík – www. gudrunpublishing.com

1. impression 1994
2. impression 1995
3. impression 1996
4. impression 1997
5. impression 1999
6. impression 2001

Couverture: Björn Jónasson et Helgi Hilmarsson

ISBN 9979-856-02-5
ISBN 9979-856-03-3

Palatino 8-12p et Goudy 14p

Papier recyclé

Imprimé en Islande
Imprimerie Oddi Ltd.

Table des matières

Introduction

De tous les poèmes dits eddiques, Hávamál est un des plus connus et assurément un des plus populaires. La partie de Hávamál présentée ici a la particularité unique dans la poésie eddique de n'être ni héroïque ni mythologique, mais plutôt d'ordre didactique.

Les Eddas représentent pour la culture nordique ce que les Vedas sont pour l'Inde ou les poèmes homériques pour les Grecs. Leur vérité et leur richesse sont telles qu'ils ont été une source d'inspiration et d'émerveillement de génération en génération jusqu'à aujourd'hui.

Les érudits polémiquent encore sur la date et le lieu de composition de Hávamál. Certains affirment que ces poèmes ont vu le jour en Norvège, d'autres en Islande, d'autres encore dans les Îles Britanniques. A la polémique sur le lieu de leur composition s'ajoute un débat sur la genèse de leur écriture. Est-ce un ensemble de dits anciens, reflètant la mentalité des ancêtres des Vikings, et finalement couchés sur le papier par un scribe dans l'une de ces contrées? S'agit-il d'un mélange de proverbes latins et d'antique sagesse païenne se fondant dans la métrique des Eddas?

La question de la datation des Eddas est bien sûr liée à celle de savoir où et quand ils ont été composés. Entre 700 et 900, s'accorde-t-on à penser, même si leur transcription peut être postérieure.

Une chose est certaine cependant. L'esprit du poème subit largement l'influence des comportements et de la mentalité des Vikings dont la culture a connu son apogée entre 800 et 900.

Les lecteurs francophones sont habitués à lire les Chansons de geste ou les romans courtois en français moderne. Cette édition a l'ambition d'offrir pour la première fois au grand public un accès tout aussi aisé à ce chef-d'oeuvre unique de la Littérature médiévale nordique.

Je souhaite remercier Françoise Perès, Directrice de L'Alliance Française de Reykjavik, pour sa lecture attentive et ses critiques. Je suis reconnaissant à Gilles Lapouge qui a tissé avec l'Univers du Nord mille liens lumineux et obscurs d'avoir bien voulu relire cette traduction.

Gérard Lemarquis

Avant-propos

Les Vikings et leurs descendants vivaient dans un univers où la christianité éprouvait des difficultés à imposer son bien fondé, la vie quotidienne des gens étant très différente sur des terres aussi septentrionales. La philosophie païenne de la vie, pour cette raison, a survécu, du moins dans les esprits, plusieurs siècles après avoir été formellement éradiquée; la connaissance des temps anciens se perpétua de génération en génération de nombreuses manières, en dépit de tentatives multiples pour l'anihiler.

La sagesse du Nord, Hávamál, nous plonge au coeur d'un monde païen qui demeure intemporel. Bien que vieille de plus de mille ans, cette poésie pourrait avoir été écrite hier. La majeure partie n'en sera jamais surannée, car sous bien des aspects l'homme n'a guère changé au cours des siècles. Les valeurs essentielles de la vie sont les mêmes qu'à l'époque où Hávamál fut transcrit: un homme qui a du feu, la vue du soleil, une santé robuste et le sens de l'intégrité est mieux loti que celui dont la vie est occupée par la poursuite des richesses, du luxe et de l'épate. Rien ne peut porter atteinte à l'existence d'un tel homme, car, bien que la mort soit inévitable, la réputation posthume ne s'éteindra jamais.

La culture païenne du Nord a une ténacité que la dialectique méditerranéenne du Bien et du Mal, de ce monde et de l'au delà, ne put effacer des siècles durant, peut-être pas avant le XVIIè. Les croyances païennes, jusque là, survécurent souterrainement ou de pair avec le culte officiel, mettant parfois son pouvoir en péril. Il était courant par exemple, au XVIIè siècle, que des sorciers évoquent la puissance des dieux païens, Odin, Thor et Freyr, et le culte du feu subsistait. L'église d'Islande et de Scandinavie, contrairement à ce qui se passa ailleurs, n'est pas parvenue pendant des siècles à imposer ses rites en tant que pratique sociale établie, et encore ces rites demeurèrent-ils ensuite fragiles.

L'éthique de Hávamál plonge avant tout ses racines dans la confiance en les vertus de l'individu. L'homme n'est cependant pas seul au monde, il tisse des liens inextricables avec la nature et la société. Pour les adeptes d'une telle philosophie, le cycle de la vie est un et indivisible et le monde vivant, dans toutes ses manifestations, constitue un ensemble harmonieux. Violer les lois de la nature, c'est s'attaquer aux racines mêmes de l'existence humaine. Chaque individu, dans l'ancienne philosophie du Nord, était responsable de sa propre vie, forgeait sa bonne ou mauvaise fortune, et était le maitre-d'oeuvre de sa propre existence.

La philosophie païenne de la vie n'a peut-être jamais eu à transmettre un message plus urgent qu'à notre époque qui manifeste son mépris pour l'humanité et la nature au lieu de leur porter admiration.

Matthías Viðar Sæmundsson
Maitre-assistant de Littérature islandaise
Université d'Islande

Hávamál

Avis aux convives

En franchissant
d’une maison le seuil
observe avec soin toutes les issues.
Nul ne sait
sur quel banc
se tapissent ses ennemis.

Comment placer un invité

Hôte d'un festin!
Voici ton invité.
Où doit-il s'asseoir?
Cherchant à mesurer son rang,
il s'emportera
s'il est mal placé.

Hospitalité

Le nouveau venu
aux genoux transis
a besoin de feu.
De pitance et de lin blanc
a besoin le voyageur
qui a franchi les montagnes.

Politesse

Qui rejoint le festin
a besoin d'eau,
de hardes sèches, de chaleur
et de courtoisie;
et qu'on écoute
ses paroles quand il parle.

Connaître le monde

Le voyageur lointain
de bon sens a besoin.
Tout chez soi est aisé.
Celui qui en est privé
deviendra la risée
des gens avertis qui l'entourent.

Présent à un festin

Nul ne devrait
se vanter de son esprit
mais parler d'or.
Avec prudence
et raison
on retrouve son jardin.
Ami plus accompli
jamais ne trouveras
qu'un grand bon sens.

Acquérir la sagesse

L'invité prudent
qui vient au festin
n'ouvre guère la bouche.
Les oreilles aux aguets
les yeux grands ouverts
ainsi s'acquiert la sagesse.

Indépendance

Bienheureux est celui
qui jouit de bienveillance
a bonne renommée et réputation.
Devoir dépendre
du sentiment d'autrui
est bien plus malaisé.

L’opinion des autres

Bienheureux est celui
qui de soi-même reçoit
louange et bon sens.
Car recommandation
venant d’autrui
n’est souvent que mauvais conseil.

Sagesse

Le meilleur fardeau
à porter en chemin
est un grand bon sens.
Supérieur aux richesses
en terre inconnue
il est le havre des démunis.

Vigilance

Le meilleur fardeau
à porter en chemin
est un grand bon sens.
Il n'en est de pire
à porter avec soi
que de boire trop de bière.

Libations

La cervoise n'a pas
tous les talents
que les hommes lui prêtent.
S'il boit davantage
l'homme ne maîtrise plus
son tempérament.

Responsabilité

Discret et réfléchi
doit être un fils de roi,
et vaillant au combat.
Tout homme devrait
être joyeux et gai
jusqu'à son dernier souffle.

Être la dupe de soi-même

Seul l'insensé
s'il évite la bataille
croit que toujours vivra.
Mais la vieillesse
le privera du répit
que les lances lui accordent.

Mauvaises manières

L'imbécile en visite
devise à tous vents
ou se tait comme une tombe.
Mais que sa coupe soit pleine
il dévoile sans crier gare
ce qu'il a sur le coeur.

Expérience

Qui en tous lieux s'oriente
pour avoir beaucoup voyagé
celui-là seul connait
dans quel état d'esprit
sont ceux qu'il rencontre.
Celui qui sait maîtrise.

Bonnes manières

Que la coupe passe de main
en main
mais que l'on boive avec mesure
on peut se taire ou bien parler.
Mais tu ne verras personne
pour t'accuser d'inconvenance
si tu vas tôt te coucher.

Contrôle de soi

Un homme insatiable
se bâfrera à rendre l'âme
s'il ne veille au grain.
Souvent on se gausse
parmi gens de bon sens
à la vue de sa panse.

Modération

Les troupeaux savent
quand il faut rentrer
et s'arrêtent de paître.
Mais l'homme ignorant
jamais ne sait
écouter son estomac.

Bonheur

Un misérable
aux intentions malignes
de tout se gausse.
Il ne sait pas
mais devrait savoir
qu'il n'est pas lui-même sans tares.

Inquiétudes

L'homme sans sagesse
toutes les nuits veille
à tout, pense et repense.
Il est épuisé
quand vient le matin
mais ses malheurs demeurent.

Apparences

L'homme borné
croit que sont ses amis
tous ceux qui lui sourient.
Au milieu de gens avisés
il est incapable de flairer
qu'on parle de lui en mal.

Périls de la naïveté

L'homme borné
voit un ami
derrière chaque sourire.
Il s'aperçoit
quand il rejoint l'assemblée
que peu prennent son parti.

Sécurité trompeuse

L’homme non sage
estime tout savoir
à l’abri dans son antre.
Mais le même hésite
s’il est mis à l’épreuve
sur comment donner suite.

Quand garder le silence

Quand l'homme ignorant
rejoint l'assemblée
il vaut mieux qu'il se taise.
Personne ne sait
qu'il est incapable
à moins qu'il parle d'abondance.
L'homme ignorant
jamais ne sait
qu'il parle trop.

Nature de la calomnie

Il passe pour habile
l'homme capable de s'informer
et de véhiculer les nouvelles.
Les hommes ne peuvent
prétendre empêcher
que les calomnies se propagent.

Parler trop

Qui jamais ne se tait
dit en abondance
des propos ineptes.
Un homme volubile
si nul n'y met frein
se porte préjudice.

Éviter de se mouiller

Jamais ne devrais
dans une assemblée
te moquer des autres.
Ils passent pour sages
ceux qui restent silencieux
et sortent secs de la tempête.

Comment éviter l’adversité

Il est jugé sage
celui qui fuit
s´étant gaussé d´un convive.
Car il ignore
si parmi ceux qui rient avec lui
il n´y a pas d´hommes en colère.

Querelles

Nombreux sont les hommes
à l’amitié mutuelle
qui dans un festin se querellent.
Toujours il y aura
conflits entre compagnons,
prises de bec entre convives.

Quand dîner et comment

Toujours devrais
manger de bonne heure
sauf en route pour faire ripaille.
Sinon, tel un chien affamé
qui mendie sa pâtée
tu seras absent de la conversation.

Nature de l'amitié

Rendre visite au faux ami
exige un grand détour
bien qu'il habite sur la grand-
route.
Mais le chemin est court
qui mène à l'ami vrai
bien qu'il loge au loin.

Comment préserver l'amitié

Il faut savoir partir
aucun convive ne doit
rester en même lieu éternellement.
S'il reste trop longtemps
sur le siège de son hôte
l'ami le plus charmant devient
importun.

Ma demeure est mon royaume

Modeste masure
vaut mieux que son absence
l'homme y est chez lui.
Une chèvre
et solives de chanvre
valent mieux que mendicité.

Pauvreté

Modeste masure
vaut mieux que son absence
l'homme y est chez lui.
Le coeur saigne
de ceux qui mendient
chaque repas qu'ils mangent.

Précarité

Tes armes
derrière toi
jamais ne laisseras.
Sur ton chemin, de ton épée
jamais ne sais
quand tu auras besoin.

Générosité

Il n'est d'homme si généreux
ni si prodigue de ses vivres
qui repousse compensation.
Ni d'homme si peu avare
de ses deniers
pour qui dédommagement soit
désagrément.

Génie de la finance

L´argent acquis
ne faut tant épargner
qu´on vive dans la gêne.
Les indésirables souvent héritent
de ce qu´aux êtres chers on réserve
nombreuses espérances sont
trahies.

Amitié durable

Les amis s´honorent
avec des armes et des étoffes
que sur soi ils portent.
Ceux qui échangent des présents
seront amis le plus longtemps
pour autant qu´ils le soient.

Le salaire du mensonge

De son ami
soyons l'ami
et payons les présents de retour.
Que le rire
réponde au rire
et l'insincérité au mensonge.

Prendre garde à ses ennemis

De son ami
soyons l'ami
de ses amis et de leurs amis.
Mais aucun homme
ne peut être l'ami
des amis de ses ennemis.

Cultiver l'amitié

Si tu veux que ton ami
mérite ta confiance
et t'accorde ses faveurs
frotte ton humeur à la sienne
échange des présents
va souvent le trouver.

Comment traiter les faux amis

Si tu en as un autre
indigne de confiance
mais de l'amitié duquel tu
veux profiter,
couvre le de louanges
fais preuve de fausseté
réponds au mensonge par
l'insincérité.

Dissimulation

Toujours sur le même
indigne de confiance
tu as des doutes sur ses intentions.
Fais-lui force sourires
déguise ta pensée
fais-lui la réponse du berger à
la bergère.

Solitude et compagnie

Dans mes jeunes années
j'étais esseulé
je me suis égaré
mais riche me suis senti
en croisant autrui.
La distraction de l'homme
est l'homme.

Prospérité

Généreux et hardi
tu vivras le mieux
rarement l'inquiétude t'étreint.
Mais le misérable montre
sa couardise
l'avare redoute de devoir rendre.

Importance des apparences

Mes hardes
j’ai données
à deux mannequins de bois.
Ils prétendirent être des hommes
dès qu’ils furent vêtus.
Timide est l’homme nu.

Solitude

Un pin dépérit
exposé en plein vent
écorce ni aiguilles ne l'abritent.
Ainsi est l'homme
que personne n'aime
pourquoi devrait-il survivre?

Paix fallacieuse

Plus vite que la flamme
entre mauvais amis
se consume l'amitié en cinq jours.
Vient le sixième jour
et il ne reste que cendres
toute l'amitié s'est éteinte.

Extravagance

D’offrir beaucoup toujours
il est nul besoin
à peu de frais souvent la
louange s’achète.
Avec la moitié d’un pain
et une coupe pleine à demi
je me suis fait maints compagnons.

Grandeur et faiblesse

A petits rivages
et petites vagues,
hommes de faible trempe.
Car tous les hommes
sont loin d'être aussi sages
des êtres imparfaits sont partout.

Modération et prospérité

Tout homme devrait être
à moitié sage au plus
qu´il ne soit jamais trop sage.
Ce sont les hommes
qui ont un peu clarté de tout
dont la vie est la plus belle.

Bonheur et modération

Tout homme devrait être
à moitié sage au plus
qu´il ne soit jamais trop sage.
Le coeur du docte
qui s'estime omniscient
est joyeux bien rarement.

Connaître sa destinée

Tout homme devrait être
à moitié sage au plus
qu´il ne soit jamais trop sage.
Le coeur en repos vivra
celui qui ignorera
ce que le destin lui réserve.

Timidité

Le feu de bûche en bûche
se relaie jusqu'à extinction
la flamme à la flamme s'allume.
La parole se relaie
d'homme en homme,
le sot se prive du commerce
d'autrui.

Qui de bon matin...

Tôt le matin se lèvera
qui veut la fortune ou la vie
d'un autre homme.
Rarement loup dormant
s'empare d'un gigot
ou triomphe l'homme qui dort.

Agilité

Tôt se lèvera le matin
qui a peu d'hommes de peine
et doit se mettre au travail.
Qui dort le matin
est sans cesse retardé
l'industrieux a fortune à
moitié faite.

Prévoyance

L'homme a besoin de savoir
combien de bois sec et d'écorces
il a besoin pour faire un toit.
Et combien de mois
les bûches peuvent durer
mois, saison ou demi-année.

Priorités

Toujours lavé et rassasié
tu te rendras à l'assemblée
même si tu es mal habillé.
De ses souliers et de ses chausses
personne n'aura honte
ni de son cheval
fût-il pitoyable.

A prohiber

Quand il s’approche le cou tendu
il mendie sa pitance
l’aigle piquant sur la mer.
Un homme agit de même
qui se mêlant à la foule
implore le regard de ceux qu´il
connait.

L’introuvable confidentialité

Ils feront provision de nouvelles
et les colporteront
ceux qui veulent passer
pour habiles.
Qu’un seul sache, soit,
mais qu’un second ne sache pas,
que trois sachent et mille sauront.

Usage de la puissance

De sa puissance
tout sage est tenu
d'user avec modération.
Il sera prompt à découvrir
dans une assemblée de braves
que nul, à lui seul, sur les
autres ne l'emporte.

Le visiteur importun

Beaucoup trop tôt suis allé
dans beaucoup d'endroits
mais trop tard dans certains.
La cervoise était bue
ou pas encore brassée
jamais ne vient l'importun quand
le moment convient.

Nature de l'hospitalité

Je serais invité
partout volontiers
si je n'avais besoin de manger.
Ou chez mon ami très cher
si deux gigots se substituaient
à celui que j'ai mangé.

Fondements de l’existence

Ce qu’il y a de meilleur
pour les hommes est le feu
et de voir le soleil...
si tu peux
santé conserver
et vivre sans vices.

Voir le bon côté

Doté d'une santé médiocre
tu es loin d'être misérable.
Certains sont riches par leur fils
certains par leur cousinage
certains de par leur richesse
d'aucuns pour leurs
actions louables.

Pauvre, mais en vie

Mieux vaut être en vie
que mort et gisant
vivant, d´une vache, tu peux
t´enrichir.
J'ai vu le feu brûler
dans la demeure d'un homme riche
mais lui-même sur le seuil gisait
mort.

Compensations

Un boiteux peut chevaucher
un manchot mène un troupeau
un sourd peut manier l’épée.
Mieux vaut être aveugle
que brûlé sur un bûcher
d´aucune ressource est un homme
mort.

Perpétuer son nom

Mieux vaut avoir un fils
même s'il naît tard
après la disparition de son père.
Sur la route rarement s'élèvent
des stèles runiques érigées
par un autre qu'un fils
en l'honneur de son père.

Ne pas se laisser gouverner par l'argent

Qui ne sait rien
ne le sait pas
pour de l'argent beaucoup
perdent la tête.
Un homme est riche
un autre l'est moins
qui pourrait le lui reprocher?

Renommée

Les richesses se perdent
les lignées s’éteignent
et les hommes meurent de
même façon.
Mais jamais ne périssent
estime et renom,
la réputation de ceux
qui l’ont bonne.

Au sujet du titre

Ce recueil d'adages en vers a pour titre Hávamál dans la langue d'origine, littéralement „les dits du très haut". Le très haut est Odin, figure de proue de la mythologie nordique. Odin est l'équivalent pour le Nord du Zeus des Grecs ou du Jupiter des Romains.

Dans Hávamál, le très haut, le dieu Odin, conseille les mortels sur la conduite à suivre ou sur les moyens de mener une vie prospère et digne d'admiration.

Le titre de cette version française, Ce que disaient les Vikings, fait référence au fait que ce poème est peut-être l'exemple le plus pur de morale viking dont on dispose dans toute la Littérature médiévale des peuples du Nord. Ce poème, avec ses perles de sagesse madrée, d'humour concis et de nobles sentiments est un condensé de l'esprit des Vikings.

Le mètre de Hávamál.

Le Hávamál respecte la métrique du Ljóðaháttur, littéralement mètre poétique, qui marque une certaine antériorité par rapport aux autres mètres des temps anciens.

La strophe type de ljóðaháttur comprend six vers ou deux ensembles de trois vers. Les deux premières lignes de chaque unité sont liées par un écho sonore, le troisième vers comprenant lui-même assonances ou allitérations.

L'allitération est le rappel sonore d'une consonne et l'assonance la répétition d'une voyelle (il suffit en norrois que deux voyelles, quelles qu'elles soient, soient accentuées pour qu'il y ait assonance).

Exemple:

Ósnotur maður

þykist allt vita

ef hann á sér í vá veru

Hittki hann veit

hvað hann skal við kveða

ef hans freista firar

Tous les mots norrois sont accentués sur la première syllabe. C'est cette syllabe qui donne lieu à allitération ou assonance. En français, c'est la dernière syllabe qui est accentuée. Assonances et allitérations, dans notre traduction, peuvent affecter n'importe quelle syllabe (les faire porter systèmatiquement sur la dernière syllabe reviendrait en effet à introduire des rimes, ce qui ne serait pas dans l'esprit de l'original).

exemple:

L'homme non sage

estime tout savoir

à l'abri dans son antre.

Mais le même hésite

s'il est mis à l'épreuve

sur comment donner suite

On peut imaginer l'effet que produisait dans les temps anciens la lecture à haute voix fortement scandée de Hávamál. La mélodie et le rythme ne provenaient pas seulement des échos sonores, mais du contraste entre syllabes comprenant ou non des allitérations. Citons Charles W. Dunn de l'Université de Harvard: „L'oreille est constamment sollicitée par l'alternance imprévisible de similitudes et de disparités, et du fait du décompte libre des syllabes, le placement de la coupe entre deux mesures est imprévisiblement variable. Chacun peut s'entraîner à entendre cette musique. Car c'est bien de cela qu'il s'agit.“